Wyt ti'
gwybo

C000001264

Dewch i weld!

Testun: Non ap Emlyn, 2018
© Delweddau: Canolfan Peniarth, Prifysgol Cymru Y Drindod Dewi Sant, 2018

Golygyddion: Lowri Lloyd ac Eleri Jenkins

Dyluniwyd gan Rhiannon Sparks

© Lluniau: Shutterstock.com. t.6 Theo Moye / Alamy Stock Photo. t.7 Theo Moye / Alamy
Stock Photo. t.8 Len Holsborg / Alamy Stock Photo. t.8 Francis Vachon / Alamy Stock Photo.
t.9 David Wall / Alamy Stock Photo. t.10 New Mindflow / Alamy Stock Photo. t.12 Danita
Delimont / Alamy Stock Photo. t.13 Franck Fotos / Alamy Stock Photo. t.13 Janice Hazeldine /
Alamy Stock Photo. t.13 age fotostock / Alamy Stock Photo

Cyhoeddwyd yn 2018 gan Ganolfan Peniarth

Cynnwys

Gorsaf	2
Canolfan arddangos	4
Canolfan siopa	5
Siopau	6
Gwesty	9
Acwariwm	10
Adeiladau tal	11
Mynegai	14

Dyma orsaf yn Japan.

Pa anifail sydd yn y llun?

A

Dyma ganolfan arddangos yn Shanghai, China.

Pa anifail sydd yn y llun?

Dyma ganolfan siopa yn
Budapest, Hwngari.

Pa anifail sydd yn y llun?

Dyma siop yn
Seland Newydd.

Pa anifail sydd
yn y llun?

Mae'r adeilad yma
drws nesaf i'r siop.

Pa anifail sydd yn y llun?

7

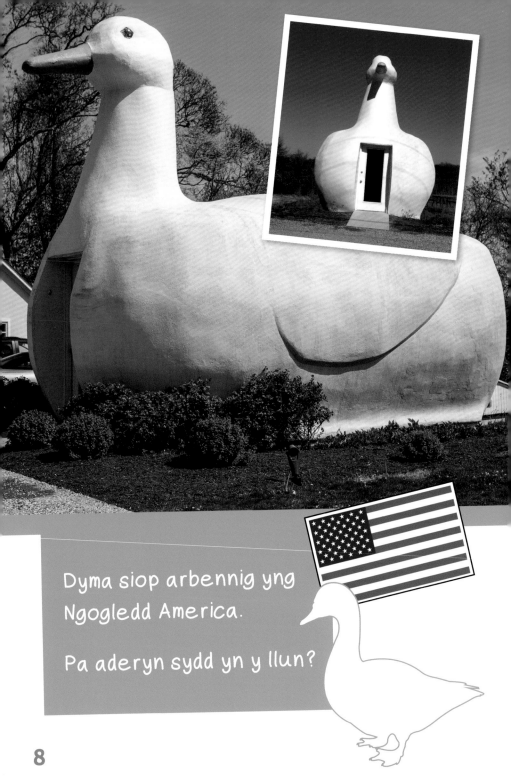

Dyma siop arbennig yng Ngogledd America.

Pa aderyn sydd yn y llun?

Dyma westy yn Awstralia.

Pa anifail sydd
yn y llun?

9

Acwariwm

Dyma acwariwm yn Indonesia.

Pa anifail sydd yn y llun?

Adeiladau tal

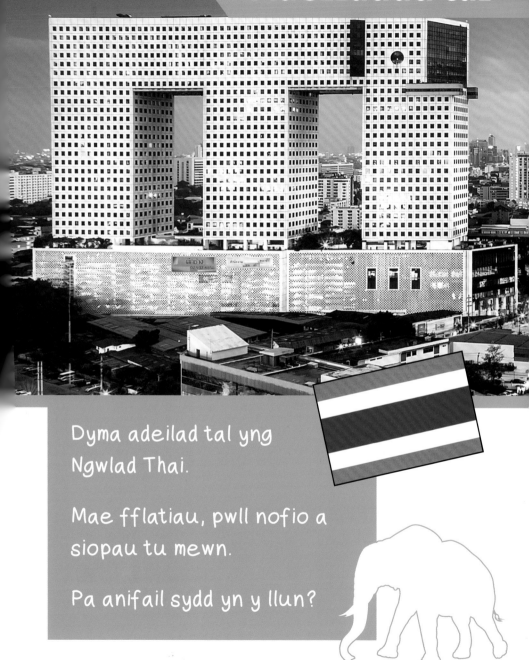

Dyma adeilad tal yng Ngwlad Thai.

Mae fflatiau, pwll nofio a siopau tu mewn.

Pa anifail sydd yn y llun?

Dyma adeilad tal yng Ngogledd America.

Pa anifail sydd yn y llun?

12

Lucy ydy enw'r
eliffant yma.

Mae pobl yn cerdded i fyny'r
grisiau ac maen nhw'n gallu
cerdded tu mewn i Lucy.

Mynegai

acwariwm	10
Awstralia	9
canolfan arddangos	4
China	4
eliffant	11, 12, 13
fflatiau	11
Gogledd America	8, 12
gorsaf	2
gwesty	9
Gwlad Thai	11
Hwngari	5
Indonesia	10
Japan	3
pwll nofio	11
Seland Newydd	6
siop, siopau	5, 6, 7, 11